De steen va...

Dirk Nielan...
Tekeningen van Daniëlle Schot...

Zwijsen

De steen is weg!

Floor spaart stenen.
Ze heeft er wel honderd.
Haar stenen komen uit de hele wereld.
Uit Afrika.
Uit een vulkaan.
Uit de zee en de bergen.
Ze zijn rood, geel, blauw, zwart en grijs.
Haar mooiste steen komt uit India.
Het is een kwarts.
Ze kreeg de steen toen ze zes werd.
De steen lijkt op het oog van een tijger.
Hij glimt en glanst.
Floor is er trots op.
Ze bewaart de steen in een doosje.
Af en toe haalt ze de steen uit het doosje.
Dan poetst ze hem op met een doek.

Floor doet haar stenen in een koffer.
Ze gaat er een spreekbeurt over geven.
Ze neemt de koffer mee naar school.
'Wat een zware koffer,' lacht mam.

Tijdens de pauze blijft Floor in de klas.
Ze stalt haar stenen uit.
Ze legt ze op de tafel bij het raam.
Straks mag heel de klas ernaar kijken.
En dan praat ze over haar stenen.
Ze krijgt het er nu al warm van.
Ze zet het raam open.
De bel gaat zo.
Snel nog even plassen, denkt Floor.
Ze rent de gang op.

Daar gaat de bel al.
Ze haast zich terug naar de klas.
Maar ze zijn er al.
Ze kijken naar haar stenen.
De juf glimlacht naar Floor.
'Mooi hoor!' zegt ze.
'We zijn benieuwd om er meer over te horen!'
'Wat zit er in dat doosje?' vraagt Ruud.
Floor glimt van trots.
'Daar zit mijn mooiste steen in!' zegt ze.
'Laat zien!' roept Ruud.
'Laat zien!' roept nu de hele klas.
Floor pakt het doosje.
Raar dat het doosje dicht is, denkt ze.

Ze doet het doosje open.

Maar er ligt geen steen in.
Het doosje is leeg.
Floor schrikt.
'Waar is mijn steen?' vraagt ze.
Niemand weet het.
De juf vraagt:
'Weet je zeker dat je de steen bij je had?'
Floor knikt.
'Hoe ziet de steen eruit?'
'De steen is rond als een knikker.
Hij is zwart en bruin.
Net het oog van een tijger.'

Een dief?

De hele klas zoekt de steen van Floor.
Ze kijken op de vloer.
Ze zoeken naast de kast.
De steen is spoorloos.
Floor kan wel huilen.
De juf probeert haar te troosten.
'We vinden hem wel,' zegt ze.

Ruud steekt zijn hand op.
'Misschien heeft een dief de steen gepakt.'
Daar schrikt Floor van.
De juf ook.
Zou er een dief in de klas zitten?
Dat kan de juf niet geloven.
'Wie was er eerst in de klas?' vraagt Floor.
De kinderen kijken elkaar aan.
'Ik,' zegt de juf.
'Ik kwam als eerste binnen na de pauze.'
Geen dief dus, denkt Floor.
'Mijn mooiste steen,' jammert ze.
De juf kijkt streng.
'Heeft iemand de steen gepakt?' vraagt ze.
Niemand zegt iets.

De juf speurt met haar blik rond.
'Straks is het middag,' zegt ze.
'Ik blijf in de klas.
De dief kan de steen dan brengen.
Ik zal niet boos worden.
Niemand komt er iets van te weten.'
De klas kijkt sip.
Zou een van hen een dief zijn?

Naar huis

Het is middag.
De kinderen eten brood.
Maar Floor krijgt geen hap door haar keel.
Ze denkt alleen aan haar steen.
En aan de dief.
Zal die haar steen naar de juf brengen?

Tijd om naar de klas te gaan.
Floor haast zich.
De juf zit te wachten.
Maar ze schudt haar hoofd naar Floor.
'Geen dief,' zegt ze.
Floor zucht.
Ze hoopte zo dat haar steen terecht was.
'Zoek thuis nog eens goed naar je steen!'
Floor knikt.
Maar ze weet zeker dat de juf zich vergist.

Floor houdt haar spreekbeurt.
Ze vertelt over haar stenen.
Maar ze vindt het niet leuk.
Ze kan alleen maar aan de dief denken.
En aan haar mooie steen.

Na schooltijd laadt Floor alles in de koffer.
De juf helpt.
Mam komt Floor in de klas halen.
'Waarom kijk je zo sip?' vraagt ze.
De juf legt alles uit.
Mam geeft Floor een knuffel.
'Arme meid,' zegt ze.
'Je bent zo trots op je steen.
We zullen thuis eens goed zoeken.
Wie weet rolde de steen weg!'
Maar dat troost Floor niet.
Ze weet dat de steen in het doosje zat.

Thuis zoekt Floor samen met mam.
Ze kijken in alle hoekjes.
Ze zoeken door het hele huis.
Mam kijkt zelfs in de auto.
Maar ze vinden geen steen.
Floor huilt.
'Zo'n mooie steen krijg ik nooit meer!'
Mam probeert haar te troosten.
'De steen is weg mam,' snikt Floor.
'Dat weet ik wel zeker!'
Mam zucht.
'Ik zal er met de juf over praten.'

Ze geeft Floor een nachtzoen.
Maar Floor kan niet slapen.
Ze denkt alleen maar aan haar steen.
En aan de dief.
Ze is woest op de dief.
Als ze hem te pakken krijgt ...

Ruud

Floor vindt het niet leuk meer op school.
Er zit een dief in haar klas.
Ze kijkt rond.
Daar loopt Mindra.
Zou zij de dief zijn?
Nee, Mindra is altijd lief.
Ruud dan?
Ruud staat tegen de grote boom.
Hij raapt iets op van de grond.
Floor schrikt.
Wat is dat?
Is dat mijn steen?

Ze holt naar Ruud.
Ze graait de steen uit zijn handen.
Ze kijkt er met grote ogen naar.
'Mijn steen,' zegt ze zacht.
Maar dan roept ze heel luid:
'Ruud is een dief!
Ruud heeft mijn steen!'
Ruud krijgt een rood hoofd.
'Ruud is een dief!' roept Floor weer.

Maar Ruud schudt zijn hoofd.
'Ik ben geen dief,' zegt hij boos.
'Wel waar,' zegt Floor.
'Niet waar,' zegt Ruud.
'De steen lag hier op de grond.'
'Ik geloof je niet,' zegt Floor.
'Je bent een dief.
En je liegt ook nog!'
Ze stapt boos naar de juf.

De kraai

Floor vertelt alles aan de juf.
Ruud moet bij haar komen.
Maar Ruud blijft erbij.
Hij is geen dief!
De juf denkt diep na.
'Dus je vond de steen naast de boom?'

Ruud laat zien waar hij de steen vond.
De juf kijkt omhoog.
Dan kijkt ze naar Floor.
'Stond het raam van de klas open?'
Floor begrijpt de vraag niet.
De juf herhaalt de vraag:
'Stond het raam open toen je ging plassen?'
Floor knikt.
De juf lacht.
'Dan weet ik wie de dief is!' zegt ze.
'Daar is hij!'
Ze wijst naar de kraai die daar vliegt.
De vogel woont in de boom.
'Kraaien stelen soms iets dat blinkt.
Hij heeft je mooie steen gepakt.
De steen viel uit zijn nest.'

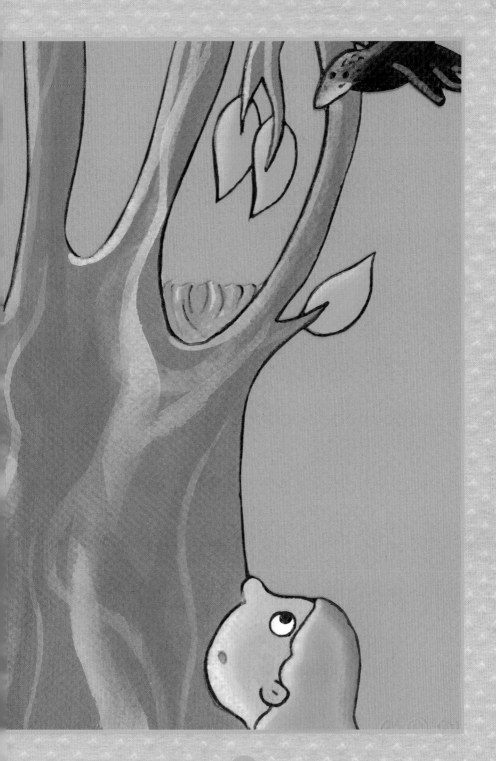

Floor is dolblij.
Ze heeft haar steen terug.
Maar ze schaamt zich ook.
Ze heeft Ruud een dief genoemd.
En dat is hij niet!
'Het spijt me Ruud,' zegt ze.
'Ik had je geen dief mogen noemen.'
'Het is al goed,' lacht Ruud.
'Mag ik je steen eens zien?'

De hele klas kijkt naar haar steen.
'Net het oog van een tijger,' zegt Mindra.
Floor is heel erg trots.

Raketjes bij kern 10 van Veilig leren lezen

1. Vieze Lieze
Tosca Menten en
Jeska Verstegen
Na ongeveer 30 weken
leesonderwijs

3. Help!
Selma Noort en
Harmen van Straaten
Na ongeveer 30 weken
leesonderwijs

2. De steen van Floor
Dirk Nielandt en
Daniëlle Schothorst
Na ongeveer 30 weken
leesonderwijs

ISBN 90.276.6180.4
NUR 287
1e druk 2005

© 2005 Tekst: Dirk Nielandt
Illustraties: Daniëlle Schothorst
Lay-out: Studio Frans Galema
Uitgeverij Zwijsen B.V. Tilburg

Voor België:
Zwijsen-Infoboek, Meerhout
D/2005/1919/393